part en vacances

Orianne Lallemand
Éléonore Thuillier

AUZOU éveil

Demain, P'tit Loup part en vacances.
« Après le gros dodo, il va falloir se lever tôt,
explique Papa. Grimper dans la voiture et...
en avant, l'aventure !
— Et si tu préparais ta valise ? dit Maman.
— Youpi ! » crie P'tit Loup.

« Là où nous allons, dit Maman,
il y a la mer et la montagne.
Que vas-tu mettre dans ta valise ? »
P'tit Loup réfléchit.
« Pas mon doudou !
Dans la valise, il sera coincé, il n'aimera pas.
Doudou, je le garde avec moi. »

Dans sa valise, P'tit Loup met
ses nouvelles chaussures de marche.

« Je vais grimper et escalader
la montagne ! dit P'tit Loup.
– N'oublie pas ta casquette et tes lunettes,
sinon gare aux coups de soleil sur la tête ! »

Dans sa valise, P'tit Loup met
son maillot de bain et ses flotteurs.

« À la plage, je vais me baigner,
faire le dauphin et vous éclabousser !
– Prends garde à toi, dit Papa,
car moi, je fais très bien le requin ! »

Dans sa valise, P'tit Loup met ses petites voitures,
son ballon et son jeu de cartes favori.

« Bonne idée, dit Maman.
En vacances, on joue beaucoup
et on se fait de nouveaux amis.
— Ne t'inquiète pas,
je jouerai aussi avec vous » dit P'tit Loup.

Dans sa valise, P'tit Loup met
son déguisement préféré.

« Je serai un super-héros,
je vous protégerai ! dit P'tit Loup.
— Tu ne prends pas de short, de culotte,
de chaussettes, de pantalon ? s'étonne Papa.
— Non. Pas besoin ! »

Dans sa valise, P'tit Loup met
son gros livre d'histoires.

« J'aime bien lire avant de dormir,
explique P'tit Loup.
— Tu pourras aussi regarder
ton livre dans la journée, dit Maman.
En vacances, on prend son temps,
on fait ce qui nous plaît. »

« Voilà ! Ma valise est terminée, dit P'tit Loup.
Est-ce que je peux aller goûter ?
– Es-tu certain de n'avoir rien oublié ? »
demande Maman.

P'tit Loup réfléchit, puis il va chercher sa trottinette.
Mais elle ne rentre pas dans la valise !
« Ne t'inquiète pas,
on la glissera dans le coffre, le rassure Papa.
– Ouf ! fait P'tit Loup.
Parce que moi, je patine partout ! »

P'tit Loup est affamé, il dévore son goûter.
Quand il a terminé, il se lève et dit :
« Bonne nuit, Maman, bonne nuit, Papa.
— Mais... ce n'est pas l'heure de se coucher !
s'exclame Maman.
— Je veux être en forme pour les vacances.
Comme on part après le dodo,
ce soir il faut se coucher tôt ! »

Toutes les histoires tendres et malicieuses de P'TiT LOUP

Direction générale : Gauthier Auzou – Responsable éditoriale : Maya Saenz-Arnaud
Conception graphique : Alice Nominé – Responsable fabrication : Jean-Christophe Collett – Fabrication : Abella Lang
Correction : Isabelle Delatour-Nicloux